EL CID

An adaptation in prose for intermediate students

Marcel C. Andrade
Professor of Spanish
University of North Carolina—Asheville

Illustrations by George Armstrong

National Textbook Company
a division of NTC/CONTEMPORARY PUBLISHING GROUP
Lincolnwood, Illinois USA

ISBN: 0-8442-7119-5

Published by National Textbook Company,
a division of NTC/Contemporary Publishing Company,
4255 West Touhy Avenue,
Lincolnwood (Chicago), Illinois 60646-1975 U.S.A.
Manufactured in the United States of America.
  8 9 0 ML 9 8 7 6 5

Preface

Rodrigo Díaz de Vivar, El Cid, is the national epic hero of
Spain; he is also the hero of the oldest Spanish literary master-
piece, *El cantar de Mío Cid*. El Cid has captured the im-
agination of readers for centuries and has given rise to books,
plays, operas, and movies. This volume, written in simple,
modern Spanish prose, recreates the flavor of this great epic
poem for the intermediate Spanish classroom. Each short,
manageable chapter is followed by concise content questions
to ensure student comprehension. Each passage is thoroughly
annotated; students will not be thrown by historical or literary
allusions. To avoid disruptive trips to the dictionary, difficult vocabulary is glossed in the margins and then recollected
in an end glossary.

Students will enjoy *El Cid* as they will enjoy the other
literary adaptations published by National Textbook Company.

Contents

Introduction   vii

Canto I. El destierro
  1. El rey destierra al Cid de Castilla   1
  2. El préstamo de Raquel y Vidas   4
  3. La despedida   5
  4. La toma de Castejón   7
  5. La derrota de los príncipes moros de Valencia   8
  6. Batalla contra el Conde de Barcelona   10

Canto II. Las bodas
  7. El Cid conquista Valencia   13
  8. Se junta la familia del Cid   15
  9. La batalla contra Yusuf   17
 10. Alfonso perdona al Cid   18
 11. Se celebran las bodas   19

Canto III. La afrenta de Corpes
 12. El episodio del león   23
 13. Batalla contra Búcar   25

14. Los Infantes regresan a Carrión   26
15. Los Infantes azotan a sus esposas   28
16. Las Cortes   29
17. Las tres demandas del Cid   30

Spanish-English Vocabulary   32

Introduction

El Cid is the first great work of Spanish literature. In contrast with other European epic poems, the book presents a real man, not greatly idealized and in no way aided by supernatural beings. El Cid moves among people most of whom existed, and whose deeds and every day life are, with few exceptions, rigorously historical. The poem was retold from memory until it was first written down about 1140. El Cid died in 1099; therefore it describes realistically a man who had died only some forty years before. The geography in the book is exact. Today one can follow the trails used by El Cid which were originally built by the Romans. There are towns which have disappeared since, of course.

There are three parts or *cantos* to the *Poema del Cid*. In the first Rodrigo Díaz de Vivar, called Cid by the Moors (*Sidi* means *My Lord* in Arabic), is accused by Count García Ordóñez of holding back for himself tributes he was sent to collect from the Moors for his king Alfonso VI of León. Alfonso exiles Rodrigo from Leon and Castilla. El Cid places his wife and two daughters in the Monastery of Cardeña for safekeeping, and takes leave of them hoping that some day he will be able to marry his daughters well. The Cid and his followers make raids to the southwest of Zaragoza into Moorish territory gaining fame and enriching themselves.

In the second *canto,* the Cid advances towards the Mediterranean coast where he captures the famous city of Valencia. He now brings his wife and daughters there to live with him. Meanwhile, the nephews of the enemy who caused the Cid's exile, the Infantes de Carrión, scheme to marry the Cid's daughters to get a share of the now great wealth of the Cid. Alfonso VI and El Cid meet on the banks of the river Tajo, now on friendly terms. The king pardons El Cid and arranges his daughters' marriages with the Infantes. The Cid is hesitant, however he defers to his king.

The third *canto* shows the cowardice of the Infantes in battles against the Moors. The men of El Cid soon take notice of this and mock the Infantes. The Infantes react by taking revenge on their wives, the daughters of El Cid. They take leave of El Cid, carrying with them all their share of the Cid's wealth, which included two priceless swords, *Colada* and *Tizón.* The Infantes set out for Carrión and upon reaching the oak grove of Corpes, they order their escort to precede them and they then attack their wives savagely and leave them for dead.

A relative of the girls, who was sent to follow from a distance, takes the young women to safety. The Cid demands justice from the king and the nobles from Spain are summoned to Toledo. The Cid demands the return of his swords, his wealth and finally the most important part, a judicial duel between his champions and the Infantes de Carrión. The Cid's men defeat the treacherous Infantes, and the daughters are married to two princes, heirs of Aragón and Navarra.

El Cid is the only Spanish epic preserved in an original form, in one manuscript. The poem was written in verse, but in those days few people knew how to read. The minstrels chanted the epic poems before audiences composed sometimes of nobles in the castles, and sometimes of peasants in the market place. These performances were very popular.

One outstanding aspect of the book is the characterization of the Cid. He is real, talks and jokes, cries, shows off. He loves his family and is loved by all. He is generous with his friends and enemies. He is loyal and quick to forgive. He is just, deeply religious, a little superstitious. Finally, his courage is unsurpassed, and he is a tender husband and father. El Cid embodies the typical medieval virtues which make him the perfect medieval knight.

The author dedicates this book to don Germán Andrade Calderón, his father, and his son and daughter, Roy and Marcelyn.

CANTO I. El destierro°

destierro exile

CAPITULO 1. El rey destierra al Cid de Castilla

El Rey Alfonso de Castilla y León[1] peleaba contra los moros.[2] Rodrigo Díaz de Vivar no luchaba con su rey porque Alfonso le mandó a cobrar parias° en Córdoba y Sevilla.

    El Conde García Ordóñez[3] y otros cristianos instigaron luchas entre los moros de Sevilla y Granada. Rodrigo entró en batalla contra los de Granada, quienes huyeron. Allí Rodrigo mesó° la barba de García Ordóñez, por lo que había instigado.

    Rodrigo ganó gran botín° y fama en las luchas. Los

parias taxes

mesó plucked off hair with the hands

botín booty

1. Alfonso VI (1031-1109) was King of Castilla and León.
2. The Moors invaded Spain in 711, and were finally expelled in 1492. The legend tells that Rodrigo, the last Visigothic King of Spain, took advantage of *la Cava,* the beautiful daughter of Count Julián. The Count was governor of a Spanish colony in North Africa. To avenge his honor, Julián made a pact with the chieftain of the Moors, Tarik, to help him invade Spain.
3. The Count García Ordóñez was the archenemy of El Cid. He caused Rodrigo's exile. García Ordóñez was a favorite of Alfonso VI.

1

moros le dieron el nombre de "Cid Campeador"[4] por su valor en los campos de batalla. Pero los enemigos malos del Cid cambiaron los hechos y acusaron a Rodrigo de traición al rey. Alfonso creyó todo y escribió una carta al Cid desterrándole de Castilla. Le dio solamente nueve días de plazo° al Cid para salir de su patria.[5]

plazo time

4. In Arabic *Sidi* means My Lord. *Campeador* is a warrior in Spanish. *Campi doctor* is Campeador.

5. The Cid was the Commanding General of Sancho, King of Castilla and León, and brother of Alfonso. Sancho was murdered. Alfonso was accused of murdering his brother; however, the Cid made Alfonso swear, in *Santa Gadea,* that he had no part in the death of his brother. When Alfonso does so, he is crowned King of Castilla and León; thus, Alfonso VI. Alfonso was by nature suspicious, and preferred to keep the Cid away on errands, instead of fighting with him. Perhaps Alfonso never forgot the humiliation of having to swear his innocence to the Cid. Alfonso VI had nobles closer to him than the Cid, such as García Ordóñez.

Preguntas

1. ¿Contra quién pelea Alfonso?
2. ¿Para qué fue Rodrigo a Córdoba y Sevilla?
3. ¿Qué hizo el Conde García Ordóñez?
4. ¿Quién ganó la batalla?
5. ¿Qué hizo el Cid al Conde García Ordóñez?
6. ¿Cómo huyeron los de Granada?
7. ¿Qué ganó Rodrigo?
8. ¿Cómo le llamaron los moros a Rodrigo?
9. ¿Por qué le llamaron así?
10. ¿Qué hicieron los enemigos del Cid?
11. ¿Qué hizo el rey?
12. ¿Cuántos días tenía el Cid para salir de Castilla?

CAPITULO 2. El préstamo° de Raquel y Vidas[1]

préstamo loan

Para vivir en exilio el Cid necesitaba dinero para su mesnada.° Le dijo a Martín Antolínez:[2] —¡Necesito tanto dinero! y la única manera de conseguirlo es así: Llena de arena° dos arcas° hasta los bordes para que sean muy pesadas.° Cúbrelas con ricos cueros rojos y séllalas° con clavos° dorados. Llévalas donde Raquel y Vidas. Diles que ya no puedo comprar nada en Burgos y tampoco puedo llevar los cofres° conmigo.[3] Es preciso° que los empeñe° por lo que me puedan dar. Lleva los cofres de noche y con gran sigilo.° No puedo hacer más y lo hago muy a mi pesar.°

mesnada troops

arena sand
arca coffer, chest
pesadas heavy
séllalas seal them
clavos nails

cofres coffers
preciso necessary
empeñe to pawn

sigilo secret

Lo hago muy a mi pesar I do it in spite of myself

Raquel y Vidas estaban contando su dinero cuando llegó Martín Antolínez. Se alegraron mucho de ver arcas tan ricas y pesadas. Martín Antolínez pidió 600 (seiscientos) marcos[4] de préstamo. Los dos judíos se apartaron de Martín y se consultaron así: —Bien sabemos que el Cid ha ganado mucho botín en la tierra de los moros. Quien viaja con dinero no duerme tranquilo. Tomemos pues las dos arcas y escondámolas en lugar seguro.

Cuando trataron de cargar las arcas se mostraron muy felices, porque siendo forzudos° no podían levantarlas. Finalmente lograron cargar las arcas. Prestaron los 600 marcos y también dieron una mordida° de 30 marcos para don Martín por su parte en el negocio.

forzudos strong

mordida reward

1. Raquel y Vidas were two moneylenders from Burgos.
2. Martín Antolínez was from Burgos. Historians are unable to verify his existence.
3. When a noble person was banished or exiled by a king, he couldn't take his possessions with him. Furthermore, the kings had the "Divine Prerogative" which gave them power over the souls of their subjects.
4. The *marco* was half a pound (8 ounces) of gold. The two coffers therefore weighed perhaps more than 300 pounds, since the 600 *marcos* weight was 300 pounds.

Preguntas

1. ¿Qué necesitaba el Cid? ¿Para qué?
2. ¿De qué llenaron las arcas?
3. ¿Cómo adornaron las arcas?
4. ¿Adónde llevaron las arcas?
5. ¿Por qué no podía comprar nada en Burgos el Cid?
6. ¿Está contento de empeñar las arcas el Cid?
7. ¿Qué suponen Raquel y Vidas que contienen las arcas?
8. ¿Qué hacían Raquel y Vidas cuando llegó don Martín?
9. ¿Cuánto dinero pidió don Martín por las arcas?
10. ¿Qué sabían Raquel y Vidas del Cid?
11. ¿Cómo cargaron las arcas?
12. ¿Por qué dieron Raquel y Vidas 30 marcos a don Martín?

CAPITULO 3. La despedida

Después de conseguir el dinero de Raquel y Vidas, el Cid Campeador se fue al monasterio de San Pedro de Cardeña para despedirse de su mujer y de sus hijas. Don Sancho,[1] el abad° del monasterio, saludó al Cid con gran gozo. El Cid dio a don Sancho ciento cincuenta marcos para que cuidara a sus dos hijas niñas, a su mujer doña Jimena,[2] y a las dueñas° que la acompañaban. Le dijo:—Dejo las dos hijas niñas; tómalas en tus brazos. Por cada marco que gastes te daré cuatro.

Doña Jimena se acercó al Cid y le besó la mano. Le dijo:—Veo que tú ya estás de partida° y que nosotras de ti nos separamos en vida.—El de la barba florida[3] tomó en sus brazos a sus dos hijas y las acercó a su corazón. Con lágrimas en los ojos dijo a doña Jimena:—Ruega a Nuestro Señor y a la Virgen María que yo llegue algún día

abad abbot, rector of a parish

dueñas ladies

estás de partida are about to leave

1. The abbot of the Monastery of San Pedro de Cardeña during this time was Sisebuto not Sancho.
2. Jimena Díaz was the daughter of the Count of Oviedo; therefore she was of royal lineage. She was also the granddaughter of kings and a second niece to Alfonso VI. She married Rodrigo in 1074.
3. The Cid is called by a number of epithets (names which highlight his person). *El de la barba florida* indicates that his beard had grown very thick and long. This was a sign of his grief because of his exile.

5

a casar a mis hijas, y que la buena fortuna[4] me proteja la vida por muchos días.— El Cid abraza a su mujer por largo tiempo. Como la uña de la carne se sienten desgarrar.[5] Alvar Fáñez[6] se impacienta con todas estas demostraciones de dolor y le dice a Rodrigo: —Cid, el bien nacido,° ¿dónde está tu esfuerzo?° Estos duelos algún día se tornarán en gozo.

nacido born
esfuerzo courage

Doblaban° las campanas en San Pedro. El pregón° anunció por Castilla la partida del Cid. Ciento quince caballeros dejaron sus hogares para acompañar al Cid. Y así soltaron° las riendas de sus caballos y comenzaron sus aventuras.

doblaban tolled
pregón town crier
soltaron loosened

4. Notice that the Cid is a good Christian and, like many of the people of the time, he is quite superstitious. He wants fortune to be good to him.
5. In this simile the Cid's departure causes much pain in both husband and wife, as the pain caused by a nail torn from its finger.
6. Minaya Alvar Fáñez is the chief tactician of the Cid. He is also a nephew of Rodrigo and therefore first cousin of the daughters of the Cid.

Preguntas

1. ¿Para qué se fue el Cid al monasterio de Cardeña?
2. ¿Cómo se llamaba el abad del monasterio?
3. ¿Qué hizo el abad al ver al Cid?
4. ¿Para qué le dio los marcos el Cid?
5. ¿Qué hizo doña Jimena?
6. ¿Qué hizo el Cid con sus hijas?
7. ¿Para qué pidió el Cid a doña Jimena que ruegue?
8. ¿Qué anuncian por Castilla?
9. ¿Cuántos caballeros dejaron sus hogares?
10. ¿Por qué se impacienta Alvar Fáñez?
11. ¿Qué dice Alvar Fáñez?
12. ¿Cómo salieron los del Cid?

CAPITULO 4. La toma° de Castejón

toma capture

Los del Cid se fueron de su patria y marcharon de Espinazo de Can, acampando a orillas° del río Duero.

orillas river banks

Por la noche el Arcángel San Gabriel se le presentó entre sueños° a Rodrigo y le dijo: —Cabalga Cid, mientras vivas, buen fin tendrá lo que hagas.— Al despertar el Cid se santiguó.° Los del Cid, a la madrugada,° se dirigieron hacia Castejón.

entre sueños in dreams

santiguó made the sign of the cross

madrugada dawn

Minaya Alvar Fáñez sugirió que el Cid atacara al pueblo con cien caballeros. Alvar Fáñez iría por los campos del lugar con doscientos caballeros tomando el botín de los moros.

Los de Castejón se levantaron como de costumbre, sin precauciones. Dejaron francas° las puertas de la ciudad y salieron a hacer sus quehaceres° diarios. El Cid cabalgó hacia las puertas francas y avasalló° a todos los moros del pueblo.

francas free

quehaceres chores

avasalló subdued

Alvar Fáñez, por su parte,° regresó con un gran botín. Cuando le vio, el Cid exclamó: —Alvar, ¿ya vienes? ¡Eres una valiente lanza! Toma la quinta parte . . . si la quieres. ¹ Alvar le contestó: —Mucho te agradezco, pero Alfonso se contentará más que yo. Me contento con matar moros hasta que la sangre baje destellando° por mi codo.

por su parte on the other hand

destellando sparkling

El Cid mostró su compasión por los moros prisioneros dándoles su libertad. Los moros y las moras bendijeron° al Cid por su bondad cuando partió de Castejón.

bendijeron blessed

1. Notice the humor of the Cid when he kids Alvar by saying: "You are here already? You are a courageous lance. Take the fifth part for yourself . . . if you want to."

7

Preguntas

1. ¿Dónde acamparon los del Cid?
2. ¿Qué reveló el Arcángel al Cid?
3. ¿Qué hizo al despertar del sueño el Cid?
4. ¿Qué hizo Alvar Fáñez con sus caballeros?
5. ¿Cómo tomó el Cid a Castejón?
6. ¿Qué obtuvo Alvar Fáñez?
7. ¿Qué exclamó humorísticamente el Cid?
8. ¿Qué ofreció a Alvar el Cid?
9. ¿Qué sugirió Alvar?
10. ¿De qué se jacta Alvar? ¿Por qué?
11. ¿Cómo muestra su compasión el Cid?
12. ¿Qué hicieron los moros cuando el Cid partió de Castejón?

CAPITULO 5. La derrota de los príncipes moros de Valencia

Después de conquistar Castejón, el Cid y sus hombres marchan por Aragón. Conquistan Alcocer y se encuentran escasos de provisiones. Al enterarse° Tamín,[1] el rey moro de Valencia, mandó a dos de sus príncipes con más de tres mil soldados contra los seiscientos del Cid. El Cid pide consejo° a sus caudillos.° Minaya Alvar Fáñez, el capitán general del Cid, opina que los seiscientos caballeros deben atacar por sorpresa a los moros. Pedro Bermúdez,[2] el caballero que porta los colores del Cid (portaestandarte),° no puede contenerse, espolea° a su caballo y ataca a los moros antes de que el Cid dé la orden; sin embargo, los del Cid ganan la batalla. Mueren más de mil trescientos moros y sólo quince caballeros cristianos.

    La quinta parte de botín le tocó° al Cid: cien caballos, oro, espadas y mucho más. El Cid mandó a Alvar Fáñez

enterarse   finding out

consejo   advice
caudillos   leaders

portaestandarte   standard bearer
espolea   spurs

tocó   fell to

---

1. Tamín is a fictitious name.
2. Pedro Bermúdez was a nephew of el Cid and his standardbearer. Therefore he was a first cousin to the Cid's daughters.

con treinta de sus mejores caballos ensillados° y con ricas
espadas, a su Rey Alfonso.

ensillados   saddled

El rey se contentó al recibir el regalo del Cid, pero dijo:

—Sólo porque era de los moros acepto el regalo. Es muy
temprano todavía para perdonar al Cid, pero dejaré que
mis caballeros vayan a pelear a su lado.—Minaya agradeció
al rey este signo del futuro perdón al Cid.

Preguntas

1. ¿Dónde estaba el Cid?
2. ¿Cuántos soldados moros y cristianos había?
3. ¿Qué pidió el Cid?
4. ¿Qué opinó Minaya?
5. ¿Qué hizo Pedro Bermúdez?
6. ¿Quiénes ganaron la batalla?
7. ¿Cuántos moros y cristianos mueren?
8. ¿Qué mandó el Cid al Rey Alfonso?
9. ¿Qué dijo el rey?
10. ¿Qué consintió Alfonso?
11. ¿Por qué no perdonó al Cid?
12. ¿Cuál es la actitud general de Alfonso?

CAPITULO 6. Batalla contra el Conde de Barcelona

Se unen al bando del Cid caballeros de Castilla y León. El Cid marcha entonces por las tierras del sur y el este de Aragón que estaban bajo el amparo° de don Ramón de Berenguer,[1] conde de Barcelona. El Cid había herido en tiempos pasados a un sobrino del conde y no había enmendado° su ofensa. Por esta razón el conde le tenía rencor° al Cid.

amparo   protection

no había enmendado   he hadn't apologized for

rencor   resentment

El Conde don Ramón reunió un gran ejército de moros y cristianos y salió contra el Cid. Al enterarse el Campeador dijo: —Díganle al Conde don Ramón que no me tome esto a mal.° De lo suyo nada llevo, y que me deje ir en paz.— Pero el conde respondió: —Lo de antes y lo de ahora, todo me lo pagará el desterrado.

tome a mal   to take it the wrong way

Los soldados del conde atacaron cuesta abajo.° Sus caballos tenían monturas coceras[2] y llevaban las cinchas° flojas. Los del Cid tenían monturas gallegas.[3] Atacando cuesta arriba,° derribaron a los de don Ramón.

cuesta abajo   down hill

cinchas   girths

cuesta arriba   up hill

El Cid ganó en la batalla la famosa espada *Colada* que valía más de mil marcos.[4] Quedó muy complacido° con sus grandes ganancias. El Conde don Ramón quedó prisionero del Cid.

complacido   pleased

Prepararon manjares° para la ocasión, pero don Ramón no los quería comer y se mofaba° diciendo: —Antes morir° que comer un bocado preparado por estos harapientos.—° Dijo el Cid: —De lo que te he ganado en la batalla, necesito para estos harapientos.

manjares   exquisitely prepared foods

mofaba   jeered

antes morir   I would rather die

harapientos   ragged persons

El Cid pidió al conde que comiera, mas don Ramón no comió por tres días. Entonces le prometió que si comía de tal manera que le agradara al Cid, le pondría en libertad con dos de sus caballeros. Entonces don Ramón comió de muy buena gana° y obtuvo su libertad.

comió de buena gana   ate with great satisfaction

---

1. The Count Ramón Berenguer is a historical character who was in fact imprisoned by the Cid. He was set free in 1082.
2. The *coceras* were saddles designed for speed; therefore they were very unsteady in battle.
3. The *gallegas* were work saddles with high front and back and very steady.
4. Swords of fine steel were difficult to find in the Middle Ages. The forging of steel was very primitive. Fine swords were rare, and they even had proper names such as the swords of the Cid.

Preguntas

1. ¿Por dónde siguió su marcha el Cid?
2. ¿A quién había herido el Cid?
3. ¿Qué actitud tenía el conde?
4. ¿Qué hizo el conde?
5. ¿Qué mandó el Cid explicar al conde?
6. ¿Qué respondió el conde?
7. ¿Cómo atacaron los del conde?
8. ¿Cuál fue la estrategia de los del Cid?
9. ¿Qué ganó el Cid?
10. ¿Qué rehusó hacer don Ramón?
11. ¿Cómo llamó a los del Cid?
12. ¿Qué prometió el Cid al conde para que comiera?

CANTO II. Las bodas

CAPITULO 7. El Cid conquista Valencia

Una vez solucionado el litigio° con don Ramón, el Cid   **litigio** dispute
Campeador y sus hombres siguieron hacia el sur por las
costas del Mediterráneo. Su intención era conquistar Valencia.

Tres mil seiscientos caballeros del Cid cercaron° la her-   **cercaron** blockaded
mosa ciudad, impidiendo que entraran o salieran los valen-
cianos. Al cabo de diez meses capituló Valencia y sus
grandes riquezas entonces pertenecieron al Cid.

Al enterarse, el rey moro de Sevilla les atacó con treinta
mil hombres de armas, pero fue derrotado en dos batallas
y escapó herido. El Cid le ganó su célebre caballo Babieca
y más riquezas aún.

La fama del Cid atrajo° a don Jerónimo,[1] un obispo   **atrajo** attracted
renombrado° del Oriente.° Era muy fuerte, valiente y en-   **renombrado** famous
tendido en las letras. Odiaba° a los moros y quería herirlos   **oriente** East
  odiaba hated

1. Don Jerónimo de Perigord, a French clergyman, was made Bishop of Valencia in 1098
by the *Metropolitano* of Toledo. This action consolidated the control of the area by the Cid.

con sus propias manos. El Cid otorgó° a don Jerónimo el obispado° de Valencia y el buen obispo comenzó a luchar a su lado.

    otorgó granted
    obispado bishopric

    Las riquezas del Cid eran ahora fabulosas. Una vez más mandó Rodrigo a Alvar Fáñez con un rico regalo para su Rey Alfonso. Pidió que permitiera venir a su esposa (doña Jimena) y a sus hijas (doña Elvira y doña Sol) a vivir con él en Valencia.[2]

    Alfonso se santiguó al ver a Alvar Fáñez y le dijo que se alegraba mucho de los éxitos del Cid. El Conde García Ordóñez, lleno de celos,° sugirió sarcásticamente que le parecía que no quedaban ya moros vivos. El rey contestó:
—. . . de todas maneras, el Cid me sirve mejor que tú.

    celos envy

    El rey concedió los favores al Cid, y aun más, mandó pagar los gastos del viaje de la familia. Los Infantes de Carrión, don Fernando y don Diego[3] González, cuando oyeron las noticias, dijeron que si se casaran con las hijas del Cid, doña Elvira y doña Sol, serían ricos a pesar de° ser más nobles que el Cid.

    a pesar de in spite of

    Los Infantes lisonjearon° a Alvar Fáñez y mandaron saludos al Cid, indicando que pronto irían a luchar a su lado. Alvar Fáñez pensó que esto tendría mal fin.

    lisonjearon flattered

2. The real names of the daughters of the Cid were Cristina and María. Cristina is Elvira and María is Sol.

3. The *Infantes de Carrión* don Fernando and don Diego were sons of don Gonzalo, the Count of Carrión. Carrión was in León. The King wanted to unite Castilla and León. The Cid was from Castilla from a place called Vivar, close to Burgos.

Preguntas

1. ¿Cuánto tiempo duró la conquista de Valencia? ¿Qué estrategia empleó el Cid?
2. ¿Qué hizo el rey moro de Sevilla?
3. ¿Cuántos hombres tenían los dos bandos?
4. ¿Cómo escapó el rey moro de Sevilla?
5. ¿Qué mandó a pedir el Cid al Rey Alfonso?
6. ¿Quién era don Jerónimo?
7. ¿Cómo saludó Alfonso a Alvar Fáñez?

8. ¿Qué sugirió García Ordóñez?
9. ¿Qué le contestó el rey?
10. ¿Qué mandó pagar Alfonso?
11. ¿Qué planean los Infantes de Carrión?
12. ¿Qué pensó Alvar Fáñez?

CAPITULO 8. Se junta la familia del Cid

Una vez cumplida° la misión, Alvar, la familia del Cid y su **cumplida** carried out
séquito° salieron de San Pedro de Cardeña para Valencia. **séquito** followers
Raquel y Vidas entonces dijeron a Alvar que el Cid les
había empobrecido y pidieron su dinero, aunque fuera° **aunque fuera** although
sin intereses. Amenazaron diciendo: —Si no, dejaremos it could be
Burgos y lo iremos a buscar.— Alvar les prometió cumplir
su encargo.

Cuando el Cid se enteró de las buenas nuevas° del rey, **nuevas** news
mandó que su buen amigo, el moro Abengalbón,[1] escol-
tara° al séquito de Jimena a Valencia. El Cid pidió cien **escoltara** escort
hombres y Abengalbón mandó doscientos.

Cuando llegó a Valencia el séquito, el Cid, por su gran
alegría, corrió en su caballo Babieca haciendo alarde° de **haciendo alarde**
su destreza.° Finalmente desmontó y abrazó a su familia boasting
con mucho cariño y todos lloraron de contento. **destreza** dexterity

El Cid llevó a su mujer e hijas hasta lo alto del alcázar° **alcázar** castle
y dijo: —Esta ha de ser nuestra morada.—° Desde allí **morada** residence
vieron toda la ciudad con el mar a lo lejos. Miraron la
huerta frondosa° y la gran belleza del lugar. El invierno se **huerta frondosa** very
ha ido y marzo ya quiere entrar. green orchard

1. Abengalbón represents the friend in peace of el Cid. There is very little known about this
curious character.

Preguntas

1. ¿Para dónde se dirigió el séquito?
2. ¿Qué dijeron Raquel y Vidas?
3. ¿Qué amenazaron?
4. ¿Quién era Abengalbón?
5. ¿Qué le pidió el Cid? ¿Para qué?
6. ¿Qué hizo el Cid al ver a su familia?
7. ¿Adónde llevó el Cid a su mujer e hijas?
8. ¿Qué dijo el Cid?
9. ¿Qué vieron?
10. ¿Qué significa la alusión al invierno y marzo?

CAPITULO 9. La batalla contra Yusuf[1]

Valencia es ahora la residencia del Cid y sus vasallos. La hermosa ciudad, la riqueza y poder del Cid son una vez más la causa de la envidia de los moros.

Yusuf, el rey moro de Marruecos, furioso porque el Cid había conquistado Valencia, decidió atacar con cincuenta mil hombres de armas. Llegaron los moros de Africa en sus naves. Desembarcaron en las playas de Valencia y plantaron sus tiendas.° Los moros comenzaron a redoblar° sus tambores[2] al despuntar el alba.°

Doña Jimena y sus damas sintieron gran miedo porque nunca habían escuchado tanto estruendo.° El Cid las consoló diciendo que les daría como regalo el tambor de los moros. Dijo además: —Verán con sus ojos como aquí se gana el pan.[3]

Después de ganar la batalla, el Cid contó su gran botín. Mandó a Alfonso la rica carpa° del Rey Yusuf y doscientos caballos como regalo. Ordenó a Pedro Bermúdez que le

tiendas tents
redoblar to roll, to play double beats on the drums
al despuntar el alba at the break of dawn
estruendo clatter

carpa tent of canvas or cloth

---

1. Yusuf ben Texufin, (1059-1116) was the Emperor of the *almorávides,* in Morocco.
2. The Moors in battle always attacked at the beat of deep drums.
3. *Ganar el pan* is the equivalent of "to make a living." It is a biblical comment. God told Adam when He expelled Adam and Eve from Paradise, "You will earn your bread with the sweat of your brow."

dijera a Alfonso que el Cid siempre le serviría mientras le quedara vida.°

le quede vida he has a breath of life in him

Los emisarios del Cid fueron a Valladolid donde estaba Alfonso por entonces. Alfonso se santiguó y se puso muy alegre. Dijo a Minaya: —La hora de perdonar al Cid está cercana.— El Conde García Ordóñez muestra una vez más sus celos y miedo. Entonces los Infantes de Carrión se acercaron al rey y le pidieron la mano de doña Elvira y doña Sol, las hijas del Cid. Alfonso meditó un gran rato.°

rato moment

Luego ordenó a Minaya Alvar Fáñez que llevara el mensaje al Cid, y que le dijera además que había de crecer en honor° al juntarse a la familia del rey.[4]

crecer en honor to grow in honor

Al oírlo el Cid lo pensó gravemente. No quería ofender a Alfonso, pero sabía bien la cobardía° de los Infantes de Carrión. Decidió por fin dar a Alfonso sus hijas para que fuera el rey quien las casase.

cobardía cowardice

4. El Cid was an *Infanzón,* that is, of lesser nobility than the *Infantes;* therefore the marriage of his daughters was to upgrade his nobility, among other reasons.

Preguntas

1. ¿Por qué atacó el Rey Yusuf?
2. ¿Qué hicieron los moros al llegar a Valencia?
3. ¿Por qué sintieron doña Jimena y sus damas gran miedo?
4. ¿Cómo las consoló el Cid?
5. ¿Qué le mandó el Cid a Alfonso?
6. ¿Qué le ordenó a Pedro Bermúdez?
7. ¿Dónde estaba el Rey Alfonso por entonces?
8. ¿Qué hizo Alfonso al verlos?
9. ¿Qué le dijo el rey a Minaya?
10. ¿Qué pidieron los Infantes de Carrión?
11. ¿Qué mandó decir el rey al Cid?
12. ¿Cómo reaccionó el Cid? ¿Por qué?

CAPITULO 10. Alfonso perdona al Cid

Llegó la hora del perdón del rey. El Cid y su gran ejército fueron al norte, al lugar destinado para el encuentro con su Rey Alfonso.

Alfonso y el Cid se encontraron en las orillas del río Tajo. El rey entonces perdonó al Cid y se besaron en la boca.[1] Todos se alegraron mucho, excepto García Ordóñez, a quien le pesó.°   **pesó**   caused grief

El Cid fue huésped° de honor en el campo del rey. Alfonso lo quería de corazón y no se cansaba de mirarle, maravillándose de su larga barba.   **huésped**   guest

El rey le pidió entonces la mano de doña Elvira y doña Sol para los Infantes de Carrión. El Cid respondió: —... son mis hijas muy niñas y aún pequeñas las dos.[2] Los Infantes son de gran renombre,° buenos para aún mejor. Da a mis hijas a quien quieras, que contento quedo yo.[3]   **renombre**   surname

El rey no quiso darlas personalmente a los Infantes de Carrión, y señaló a Minaya como padrino de la boda.° Ante el rey cambiaron espadas el Cid y los Infantes de Carrión como señal de la unión.   **padrino de la boda** sponsor, best man at a wedding

Después del encuentro con su rey, el Cid regresó a Valencia y contó a doña Jimena y sus hijas que había concertado° el matrimonio. Besaron al Cid las manos su mujer e hijas y dijeron: —Gracias a Dios sean dadas, y al Cid de la barba crecida. Para siempre seremos ricas.   **concertado**   arranged

El Cid les informó entonces que las había puesto en manos del rey, y dijo: —El las casará y no yo.

---

1. Normally a vassal would kiss a king on the feet or the hands as a gesture of devotion and humility. Alfonso highlights his great love and regard for the Cid by kissing on the lips as a sign of almost equality.

2. The experts claim that at this time doña Elvira was 11 or 12 years old, and doña Sol, 9 or 10. During the Middle Ages, it wasn't unusual for noble girls of very young age to marry. Marriages were sometimes made for economic or political reasons, or both.

3. The Cid tactfully puts the responsibility of the marriage of his two daughters on Alfonso.

Preguntas

1. ¿Dónde se encontraron Alfonso y el Cid?
2. ¿Qué hicieron después del perdón del rey?
3. ¿Qué sentía Alfonso por el Cid?
4. ¿Por qué se maravillaba?
5. ¿Qué pidió el rey?
6. ¿Cómo consintió el Cid?
7. ¿Por qué no quiso ser padrino el rey?
8. ¿A quién le nombró padrino Alfonso?
9. ¿Qué hicieron el Cid y los Infantes como señal de la unión?
10. ¿Qué papel tuvo doña Jimena en la decisión de la boda?
11. ¿Qué dijeron las hijas del Cid?
12. ¿Por qué dice el Cid: —Él las casará y no yo.—?

CAPITULO 11. Se celebran las bodas

Llegaron a Valencia los Infantes de Carrión y muchos otros nobles de todos los reinos° de España. El Cid les hizo mucho honor. En particular distinguió a sus futuros yernos,° los Infantes. Mandó que Pedro Bermúdez y Muño Gustioz[1] cuidaran y atendieran personalmente a los Infantes.

reinos kingdoms

yernos sons-in-law

Las bodas se celebraron en la gran sala del palacio. Por todas partes se veían alfombras, seda y púrpura.[2] Llegó la hora y los caballeros del Cid se juntaron allí con gran prisa. Los Infantes se inclinaron ante el Cid y doña Jimena. Cavilando° dijo el Cid: —Puesto que° tenemos que hacerlo, ¿por qué lo vamos tardando?— Ordenó a Alvar Fáñez que comenzara el rito° y que diera a sus hijas con su propia mano. Fueron todos después a la iglesia de Santa María donde don Jerónimo, el obispo, dio su bendición.

cavilando hesitating
puesto que since

rito rite

El Cid y los suyos, para celebrar el evento, hicieron una gran muestra de su destreza con las armas. Se realizaron

1. Muño Gustioz was a brother-in-law of Jimena.
2. Purple has been traditionally the color symbolic of the nobility.

torneos en un arenal° cercano y, al día siguiente antes de   **arenal** sandy ground
comer, los caballeros rompieron siete castillos de tablas[3]
eregidos en el campo.

Al final de los quince días de fiestas, el Cid dio ricos
regalos a todos los caballeros presentes y éstos regresaron
a sus reinos ricos y contentos. Los Infantes de Carrión se
quedaron a vivir en Valencia con sus mujeres y el Cid.

3. The Knights of the Cid tore down wooden castles erected in a field as a sign of their
dexterity with their arms. This exercise was commonly seen during the times.

Preguntas

1. ¿Qué se celebra en Valencia?
2. ¿Qué mandó el Cid a Pedro y Muño?
3. ¿Dónde se celebran las bodas?
4. ¿Qué se veía por todas partes?
5. ¿Qué hicieron los Infantes?
6. ¿Qué dijo el Cid?
7. ¿Quién comienza la ceremonia?
8. ¿Adónde fueron después? ¿Para qué?
9. ¿Qué hicieron el Cid y los suyos?
10. ¿Cuánto tiempo duraron las fiestas?
11. ¿Qué dio el Cid a los caballeros?
12. ¿Cree usted que Raquel y Vidas estuvieron presentes?

CANTO III. La afrenta° de Corpes°

afrenta dishonor
Corpes a place name

CAPITULO 12. El episodio del león

Después de las bodas de doña Elvira y doña Sol se normalizó la vida en el palacio de Valencia. Pero un día, mientras el Cid dormitaba° en un sillón, se escapó de su jaula un león.[1] Los hombres del Cid sintieron gran temor; sin embargo, recogieron sus mantos° y rodearon al Cid para protegerlo.

dormitaba was napping

mantos cloaks

Los Infantes de Carrión, don Fernando y don Diego González, sintieron gran pavor.° Don Fernando corrió y se echó bajo° el sillón del Cid. Don Diego gritó: —Nunca más veré Carrión.— Y se escondió detrás de una gran viga.°

El Cid se despertó entonces y se enteró° del suceso. Se puso de pie° y fue hacia el león. Cuando el león lo vio,

pavor terror

se echó bajo he threw himself under

viga beam
se enteró de found out about
se puso de pie stood up

---

1. During the time of the Cid, the rich had the custom of keeping caged wild animals in their palaces.

bajó la cabeza como seña de humildad. El Cid lo tomó por el cuello y lo metió en la jaula. Todos los presentes se sintieron maravillados por el suceso. El Cid preguntó por sus dos yernos, y no los halló. Los llamaron entonces a gritos y ni el uno ni el otro respondieron. Finalmente cuando los encontraron, los hallaron pálidos de miedo.

¡Cómo se burlaron° todos los presentes! El Cid mandó que no se hiciera tal cosa. Los Infantes de Carrión se sintieron avergonzados° y lo ocurrido fue una gran deshonra para ellos.

se burlaron   mocked

avergonzados
humiliated

Preguntas

1. ¿Qué sucedió un día?
2. ¿Qué sintieron los hombres del Cid?
3. ¿Qué hicieron luego?
4. ¿Qué sintieron los Infantes?
5. ¿Qué hizo don Fernando?
6. ¿Qué gritó don Diego?
7. ¿Qué hizo el Cid?
8. ¿Qué hizo el león al ver al Cid?
9. ¿Qué preguntó el Cid?
10. ¿Como hallaron a los Infantes?
11. ¿Qué hicieron los presentes?
12. ¿Cómo se sintieron los Infantes?

CAPITULO 13. Batalla contra Búcar[1]

La vida en el alcázar de Valencia volvió a lo normal
después del cómico episodio del león. Pero entonces llegó
un mensaje del Rey Búcar de Marruecos. Búcar mandó que
el Cid saliera de Valencia. El Cid respondió al mensajero:
—Di al hijo de una mala secta[2] que antes que pasen tres
días seré yo quien le pide cuentas.° **yo . . . pide cuentas** he'll have to answer to me

Muño Gustioz había oído a los Infantes de Carrión
expresar su miedo de entrar en batalla. Al enterarse el Cid,
les dijo que no tenían que pelear; no obstante,° al comen- **no obstante** nevertheless
zar la batalla los Infantes fingieron° ser campeones. **fingieron** pretended

Don Fernando, muy osado,° se fue contra el moro Ala- **osado** daring
draf.[3] Pero cuando el moro se detuvo para luchar, Fer-
nando volvió las riendas° con gran temor. Entonces Pedro **volvió las riendas** turned the reins of a horse, drew back
Bermúdez venció a Aladraf y dio el caballo del moro al
Infante diciendo: —Di a todos que tú ganaste este caballo;
yo seré testigo.—° Al saber el éxito de su yerno, el Cid se **testigo** witness
contentó mucho.

La batalla entre los del Cid y los de Búcar fue sangri- **sangrienta** bloody
enta.° Don Jerónimo, después de haber matado siete
moros, se vio cercado° de muchos más. El Cid les atacó **cercado** surrounded
con su espada, matando moros a diestra y siniestra.° Mató **a diestra y siniestra** left and right
once moros y rescató° a su obispo. **rescató** rescued

El Rey Búcar, viéndose perdido, huyó en su famoso
caballo, a galope tendido.° El Cid le dio alcance° cerca **galope tendido** galloping fast, full speed
del mar en su caballo Babieca, cuyo galope era aún más
veloz. Alzó su espada *Colada* y le dio un fuerte golpe. Los **le dio alcance** caught up with him
rubíes del yelmo° de Búcar cayeron en la arena. Así el Cid **yelmo** helmet
ganó del Rey Búcar la espada *Tizón*, que valía más de mil
marcos.

---

1. Búcar seems to have been one of the Abu Békers who lived during the time of the Cid.
However, positive identification has not been established.
2. *hijo de una mala secta*, the son of a bad doctrine. The reference is to the Islamic religion.
The Moors were Mohammedans.
3. Aladraf is fictitious.

Preguntas

1. ¿Qué mandó Búcar?
2. ¿Cómo respondió el Cid al mensaje de Búcar?
3. ¿Qué había oído Muño Gustioz?
4. ¿Tuvieron que pelear los Infantes?
5. ¿Qué hizo don Fernando cuando se detuvo Aladraf?
6. ¿Qué le dijo Pedro Bermúdez a don Fernando?
7. ¿A cuántos moros mató don Jerónimo?
8. ¿Cuántos moros pierden su vida en el rescate de don Jerónimo?
9. ¿Qué hizo Búcar?
10. ¿Dónde le dio alcance el Cid?
11. ¿Cuál de los dos caballos era más veloz?
12. ¿Qué cayó en la arena?

CAPITULO 14. Los Infantes regresan a Carrión

Don Fernando y don Diego recibieron cinco mil marcos como parte del botín ganado a Búcar. Fueron luego a agradecer al Cid. Dijo Fernando: —Gracias a Dios y gracias a ti, Cid honrado, tenemos tanta riqueza que ni la hemos contado. Hemos luchado por ti y hemos matado al Rey Búcar, gran traidor probado.

Los vasallos del Cid que estaban presentes se burlaron de la mentira de Fernando. Los Infantes, llenos de odio y venganza, decidieron regresar a Carrión llevando consigo a doña Elvira y doña Sol y todas sus riquezas. Pensaron que en el camino se vengarían° del Cid matando a sus hijas. Pidieron permiso al Cid para regresar a Carrión y éste les dio tres mil marcos como ajuar° de sus hijas, además de muchos otros regalos. Les dio también sus dos espadas, *Colada* y *Tizón*.

se vengarían they would avenge themselves

ajuar dowry

El Cid se despidió de sus hijas con mucho dolor. Las dos hermanas le pidieron que siempre hiciera llegar sus cartas a Carrión. Todos los presentes lloraron de corazón. Como uña° de la carne dolía la separación.

uña fingernail

El Cid sabía por agüeros° que los dos matrimonios no serían afortunados. Por esta razón envió al joven Félix

agüeros omens

Muñoz,[1] primo de sus hijas, para que las siguiera en el viaje a Carrión.

El séquito se dirigió a Carrión y pasaron los Infantes por Molina y las tierras del moro Abengalbón. Por su gran amor al Cid, Abengalbón hizo ricos regalos a los Infantes. Los dos hermanos, sin embargo, pensaron que podían enriquecerse más aún si mataban a Abengalbón.

Un moro que comprendía español[2] entendió la discusión de los Infantes y comunicó sus planes a Abengalbón. Bien armado, se dirigió a los Infantes y les dijo:—No hago lo que podría, por amor al Cid. Si lo hiciera, llevaría a sus hijas al Campeador leal, y vosotros jamás llegaríais a Carrión. Me iré de aquí sólo con permiso de doña Elvira y doña Sol. Les tengo desdén° a ustedes, Infantes de   **desdén** disdain Carrión.[3]

1. Félix Muñoz was a nephew of the Cid, and first cousin to his daughters.
2. The Moors, of course, spoke Arabic as their native language.
3. Abengalbón takes leave only from the daughters of the Cid; therefore showing his contempt for the Infantes. At a time when extreme politeness was required of people, not to take leave from a nobleman was a serious insult.

Preguntas

1. ¿Cuánto dinero recibieron los Infantes?
2. ¿De qué se jacta Fernando?
3. ¿Qué hicieron los vasallos presentes?
4. ¿Cómo reaccionaron los Infantes?
5. ¿Cómo se vengarán del Cid?
6. ¿Qué les dio el Cid?
7. ¿Cómo dolía la separación?
8. ¿Qué tenía que hacer Félix Muñoz?
9. ¿Estimaba Abengalbón al Cid?
10. ¿Qué pensaron hacer los Infantes?
11. ¿Quién escuchó a los Infantes?
12. ¿Qué dijo Abengalbón?

CAPITULO 15. Los Infantes azotan° a sus esposas

Pronto entonces siguieron su viaje a Carrión. En un roble-   **azotan**   whip
dal° de Corpes cerca de una fuente, mandaron los Infantes   **robledal**   oak grove
levantar su tienda. Por la mañana mandaron a todos los
sirvientes que salieran delante porque querían quedarse
solos con sus mujeres.

Una vez solos los Infantes quitaron a sus mujeres las
pieles de armiño° dejando sólo las camisas de seda sobre   **armiño**   ermine
sus cuerpos. Los Infantes calzaron sus espuelas,° tomaron   **calzaron las espuelas**
duras cinchas y dijeron: —Ahora nos vengaremos por la   **put on spurs**
afrenta del león.— Doña Sol, al entender su intención
habló: —Les ruego, por Dios, que corten nuestras cabezas
con sus espadas. Si nos azotan, la vileza° es de ustedes, y   **vileza**   depravity
si así lo hacen, tendrán que responder en Cortes esta
acción.[1]

Sin embargo, los Infantes las azotaron sin merced. Ras-   **rasgaron**   they tore
garon° con sus espuelas las camisas y las carnes de las dos.
Quedaron las dos hijas del Cid sin sentido,° ensangrenta-   **sin sentido**   uncon-
das. Cuando se cansaron los Infantes de Carrión, las deja-   scious
ron por muertas en el robledal de Corpes.

Félix Muñoz estaba escondido en el bosque cuando vio
pasar a los Infantes sin sus esposas. También escuchó su
conversación. Siguió el rastro° que dejaron y encontró a   **rastro**   trail
sus primas casi muertas. Félix les trajo agua en su sombrero
nuevo para mitigar° su sed. Poco a poco volvieron en sí.°   **mitigar**   to appease
Las subió a su caballo y las llevó a la torre de doña Urraca[2]   **volvieron en sí**   recov-
lo más presto que pudo.   ered their senses

Las noticias llegaron al Rey Alfonso primero y luego al
Cid Campeador. Al escucharlo el Cid caviló° por mucho   **caviló**   brooded
tiempo. Luego mandó a traer a sus hijas a Valencia. Al
verlas, las saludó y dijo: —Yo he dejado que las casen
porque no supe negar. Quiera Dios que las vea yo mejor
casadas en el futuro. De mis yernos de Carrión, que Dios
me quiera vengar.

---

1. Doña Sol shows a keen intelligence and understanding of the law of the time. Also, it is
important that she treats the Infantes in the polite *usted* instead of the expected *vos* of the
nobility. El Cid always addresses Alfonso in the *vos* form.
2. Doña Urraca was a daughter of Alfonso. Urraca also means Magpie.

Preguntas

1. ¿Qué mandaron los Infantes a los sirvientes? ¿Por qué?
2. ¿Qué hicieron una vez solos?
3. ¿De qué afrenta se querían vengar?
4. ¿Qué dijo doña Sol? ¿Por qué?
5. ¿Cómo respondieron los Infantes?
6. ¿Quién las encontró? ¿Cómo?
7. ¿Qué les trajo? ¿Para qué?
8. ¿Adónde las llevó?
9. ¿Quién se enteró del suceso primero?
10. ¿Qué hizo el Cid al escucharlo?
11. ¿Qué dijo el Cid al ver a sus hijas?
12. ¿Qué se supone?

CAPITULO 16. Las Cortes

El Cid mandó a Muño Gustioz con la queja de sus agravios al rey. Alfonso al escucharlo dijo: —Fui yo quien casó a sus hijas con los Infantes de Carrión. ¡Bien quisiera° que **bien quisiera** how I wish
esas bodas jamás se realizaran! Dile al Cid y sus vasallos
que en siete semanas se preparen. Haré Cortes en Toledo.

El rey citó° a los nobles de Castilla, León, Carrión, **citó** summoned
Santiago, Galicia y Portugal a que vinieran si eran sus
vasallos. Alfonso ordenó a los Infantes que acudieran,° ya **acudieran** to be present
que ellos no querían. En siete semanas todos se juntaron
en Toledo, excepto el Cid quien tardó cinco días.[1]

Al verle al Cid, Alfonso se alegró de corazón. En la
mano y en la cara el Cid lo besó al rey. Se dirigieron entonces a Toledo. Al llegar al río Tajo, el Cid se excusó, y
se alojó° en San Severando para velar.° No quería cruzar **se alojó** he lodged
velar to keep vigil
el Tajo porque sospechaba traición y no estaba protegido
por su escolta° que debía llegar al anochecer.° **escolta** escort
anochecer dusk
Al amanecer,° el Cid dio instrucciones a sus líderes que **amanecer** dawn
ocultasen sus trajes de armas debajo de sus ricas pieles.
El Cid cubrió su propio° traje de armas con una camisa de **su propio** his own

---

1. The Cid creates anxiety in Alfonso when he intentionally delays his trip to Toledo for five days.

29

hilo que era blanca como el sol y una piel roja con bandas
de oro. Ató° su barba con un cordón por si acaso luchara   **ató** tied
no le asieran° de su larga barba. Al llegar a la sala de las   **asieran** seize
Cortes con sus líderes tan galantes, causaron admiración
en todos los presentes.

Preguntas

1. ¿Quién llevó al rey la queja del Cid?
2. ¿Cómo respondió el rey?
3. ¿Qué mensaje mandó Alfonso al Cid?
4. ¿A quiénes citó Alfonso?
5. ¿Cómo respondieron los Infantes?
6. ¿Dónde se alojó el Cid?
7. ¿Por qué no quería cruzar el río Tajo?
8. ¿Qué instrucciones dio el Cid al amanecer?
9. ¿Cómo se vistió el Cid?
10. ¿Por qué ató su barba?
11. ¿Cómo se veían los líderes del Cid?
12. ¿Qué causaron?

CAPITULO 17. Las tres demandas del Cid

Los jueces de las Cortes fueron don Enrique, don Ramón
y otros condes que no pertenecían a ningún bando. El rey
mandó al Cid que comenzara la demanda. El Cid pidió entonces que los Infantes le devolvieran sus dos espadas, *Colada* y *Tizón.* Los jueces lo otorgaron.°   **otorgaron** granted

    Los Infantes entregaron las espadas a Alfonso. El Conde
García Ordóñez, creyendo que era la única demanda, dijo
a los Infantes que el Cid les tenía miedo. Por su barba, el
Cid juró más venganza para sus dos hijas.

    El Campeador se levantó y pidió que le devolvieran las
riquezas que dio a los Infantes como dote.° Los Infantes   **dote** dowry
lo negaron diciendo que ya habían dado las espadas; sin
embargo, Alfonso y los jueces lo otorgaron. Puesto que los
Infantes ya habían gastado el dinero, ofrecieron sus tierras
en Carrión. Además el rey mandó que completaran su pago
con caballos, mulas, espadas finas y cosas de valor.

Dijo entonces el Cid: —Los Infantes de Carrión me hicieron tal afrenta que a menos que los rete,° no los puedo yo dejar.— El Conde García Ordóñez insultó al Cid por su barba tan larga y dijo además que las bodas no eran legales. El Cid respondió a lo de la barba sacando de su bolsa un mechón° de la barba del mismo García Ordóñez, que el Cid le mesó° tiempo atrás.

rete challenge

mechón large lock of hair
mesó pulled out

Entonces el Cid miró a Pedro Bermúdez y dijo: —Pedro, que te llaman tartamudo,° habla tú que siempre callas.— Entonces Pedro retó allí a Fernando. Martín Antolínez retó a Diego. Finalmente Muño Gustioz retó a Asur González, hermano de los Infantes, quien acababa de llegar ebrio,° con su cara colorada.

tartamudo stutterer

ebrio drunk

Llegaron a la corte mensajeros de los Infantes de Navarra y Aragón, hijos de reyes, y pidieron al Cid, a doña Elvira y doña Sol para sus señores. El Cid se las concedió.

Nuestro Cid regresó a Valencia. El rey y la corte fueron a Carrión donde se llevaron a cabo los torneos. Los Infantes de Carrión fueron derrotados. Doña Elvira y doña Sol, vindicadas, se casaron con dos reyes.

Así el Cid murió en la Pascua de Pentecostés,[1] en plena gloria, con mucho honor, y finalmente, fue pariente de reyes de España.

1. Pentecost is a Christian festival commemorating on the seventh Sunday after Easter the descent of the Holy Spirit on the Apostles; hence Whitsunday. Fifty days after Easter, Christ goes to heaven and can take with him the souls of people who die on this day. Therefore it is assumed that the Cid goes to heaven with Christ.

Preguntas

1. ¿Por qué fueron jueces don Enrique y don Ramón?
2. ¿Cuál fue la primera demanda del Cid?
3. ¿Qué dijo el Conde García Ordóñez? ¿Por qué?
4. ¿Por qué y cómo hizo el Cid un juramento?
5. ¿Cuál fue la segunda demanda del Cid?
6. ¿Qué ofrecieron los Infantes? ¿Por qué?
7. ¿Cuál fue la tercera demanda del Cid?
8. ¿Qué dijo García Ordóñez? ¿Qué contestó el Cid?
9. ¿Quiénes hacen el reto?
10. ¿Con quiénes se casan las hijas del Cid?
11. ¿Qué les pasa a los Infantes?
12. Explique el significado de la muerte del Cid en la Pascua de Pentecostés.

Vocabulary

The Master Spanish-English Vocabulary presented here represents the vocabulary as it is used in the context of this book.

The nouns are given in their singular form followed by their definite article only if they do not end in **-o** or **-a.** Adjectives are presented in their masculine singular form followed by **-a.** The verbs are given in their infinitive form followed by the reflexive pronoun **-se** if it is required, by the stem-change **(ie), (ue), (i),** by the orthographic change **(c), (zc),** by **IR** to indicate an irregular verb and by the preposition which follows the infinitive.

A

abad, el   abbot, rector of a parish
abajo   down
abrazo   embrace
acampar   to camp
acaso   perhaps
acceder   to accede
acción, la   action
aceptar   to accept
acercar (qu)   to bring (draw) near
acompañar   to accompany
actitud, la   attitude
acudir   to be present
acusar   to accuse
además   moreover
admiración, la   admiration
afamado, -a   famous
afortunado, -a   fortunate, lucky
afrenta   dishonor
agradar   to please
agradecer (zc)   to thank
agraviar   to offend
agua, el   water
agüero   omen
ajuar, el   dowry
alarde, el   brag, boast
alcance, el   reach, scope
alcázar, el   castle
alegrarse   to cheer up
alfombra   carpet, rug
algún   some
allí   there
alojar   to lodge
alusión, la   allusion, reference

alzar (c)   to lift, raise
amanecer, el   dawn
amenazar (c)   to menace, to threaten
amigo, -a   friend
amor, el   love
amparo   protection
anochecer, el   dusk
antes   before
anunciar   to announce
aquí   here
arca   chest
arcángel, el   archangel
arena   sand
arenal, el   sandy ground
arma   arm, weapon
arriba   above
así   so, thus
asir   to seize
atacar (qu)   to attack
ataque, el   attack
atar   to tie, fasten
atender (ie)   to heed, pay attention
atraer (IR)   to attract
aunque   though
aún   even, still
avasallar   to dominate, to subdue
avergonzar (c)   to be ashamed
azotar   to whip

B

bajar   to go down
bajo   low
banda   band

barba   beard
batalla   battle
belleza   beauty
bendecir (IR)   to bless
besar   to kiss
beso   kiss
bien   good, well
blanco, -a   white
boca   mouth
bocado   mouthful
boda   wedding
bolsa   bag
bondad, la   goodness
borde, el   end
bosque, el   forest
botín, el   booty, loot
brazo   arm
bueno, -a   good
burlarse   to mock, to jeer
buscar (qu)   to seek, look for

C

cabalgar (gu)   to ride horseback
caballo   horse
caballero   knight, horseman
cabeza   head
cabo   end, tip
cada   each
calle, la   street
calzar (c)   to put on shoes, spurs
cambiar   to change, to exchange
camino   road
camisa   shirt, blouse
campeador, el   champion
campo   field
cansar   to tire
capitán, el   captain
capitular   to surrender
cara   face
cargar (gu)   to load
cariño   affection
carne, la   flesh, meat
carpa   tent of canvas or cloth
carta   letter
casi   almost
casar   to marry
catalán   Catalan
caudillo   leader
causar   to cause

cavilar   to hesitate, to brood over
celebrar   to celebrate
célebre   famous
celo   jealousy, zeal
cercano, -na   near
cercar (qu)   to surround, to blockade
ceremonia   ceremony
Cid   lord
cincha   girth
cintura   waist
citar   to cite, to call
ciudad, la   city
clavo   nail
cobardía   cowardice
cobrar   to collect
cocera   speed saddle
codo   elbow
cofre, el   chest
color, el   color
colorado, -a   reddish
comenzar (ie) (c)   to commence, to begin
comer   to eat
compasión, la   compassion
complacer (zc)   to please
completar   to complete
comprar   to buy
comunicar (qu)   to communicate
con   with
conceder   to concede, grant
conde, el   count
conmigo   with me
conquistar   to conquer
conseguir (i)   to get
consejo   advice
consentir (ie)   to consent, permit
consolar   to console
consultar   to consult
contado   cash
contar (ue)   to count; to tell, relate
contener (IR)   to contain
contentar   to make happy
contento, -a   content
contestar   to answer
contra   against
conversación, la   conversation
corazón, el   heart
cordón, el   cord
correr   to run
cortar   to cut
cosa   thing

costumbre, la   custom
crecer (zc)   to grow
crecido, -da   grown
creer (IR)   to believe
cristiano   Christian
cruzar (c)   to cross
cuando   when
cubrir   to cover
cuello   neck, collar
cuenta   count, calculation
cuero   leather
cuerpo   body
cuesta   hill
cuidar   to take care of
cumplido, -da   completed, carried out
cumplir   to carry out; to fulfill, comply

D

dama   lady
dar (IR)   to give
debajo   under
deber   to owe
decidir   to decide
decir (IR)   to say, tell
decisión, la   decision
dejar   to leave, quit
delante   before
demanda   demand
demostración, la   demonstration
derribar   to demolish
derrotar   to defeat
desdén, el   disdain, scorn
desembarcar (qu)   to disembark
desgarrar   to tear
deshonra   dishonor
desmontar   to dismount
despedir (i)   to discharge
despertar (ie)   to awaken
después   after
despuntar   to begin to dawn
destellar   to sparkle, to gleam
desterrar (ie)   to banish, exile
destreza   dexterity, skill
detener (IR)   to detain
detrás   behind
devolver (ue)   to return, to give back
día, el   day
diario, -a   daily
dibujo   drawing

diestra   right hand
dinero   money
dirigir (j)   to direct
doblar   to toll or ring a bell
doler (ue)   to ache
dolor, el   pain
dorado, -a   gilded, golden
dormir (ue)   to sleep
dormitar   to doze, to nap
dos   two
dotar   to endow
dote, el   dowry
duelo   grief
dueña   lady
durar   to last, endure

E

ebrio, -a   drunk
echar   to throw
ejército   army
empeñar   to pawn
emplear   to employ, invest
empobrecer (zc)   to impoverish
encargo   recommendation
encontrar (ue)   to encounter
enemigo   enemy
enmendar (ie)   to amend
enriquecer (zc)   to enrich
ensangrentar   to stain with blood
ensillar   to saddle
entender (ie)   to understand
enterarse   to inform oneself, find out
entonces   then
entrar   to enter
entre   among
entregar (gu)   to deliver
enviar   to send
escapar   to escape
escolta   escort
escoltar   to escort
esconder   to hide
escribir   to write
escuchar   to listen
esfuerzo   courage, spirit
espada   sword
espolear   to spur
esposa   wife
estar (IR)   to be
éste   this one

estrategia strategy
estruendo clatter, noise
excepto except
exclamar to exclaim
exilio exile
éxito success
explicar (qu) to explain
expresar to express

F

fabuloso, -a fabulous
fama fame
familia family
famoso, -a famous, excellent
feliz happy
fiesta festivity
fin, el end
finalmente finally
fingir (j) to feign, pretend
fino, -a fine, of quality
flojo, -a lax, loose, lazy
florido, -a flowery, exuberant
fortuna fortune
forzudo, -a strong
franco, -a free, unguarded
frondoso, -a leafy, exuberant
fuente, la fountain
fuera outside
fuerte strong
furloso, -a furious

G

galante elegant
gallega work saddle
galope, el gallop
ganancia profit, gain
ganar to win, to earn
gastar to spend, wear
gasto expense
general, el general
gloria glory
golpe, el blow, hit
gozo pleasure, joy
gracias thanks
gran large, great
grande large, big
gravemente gravely
gritar to shout, cry

H

haber (IR) to have
hacer (IR) to make, do
hallar to find
harapientos ragged people
hasta until
hecho fact
herido, -a wounded
herir to wound
hermano brother
hija daughter
hijo son
hilo thread
hogar, el home
hombre, el man
honor, el honor
honrado, -a honest
huerta orchard and vegetable garden
huésped, el guest
huir (IR) to flee
humillar to humiliate
humorístico, -a humorous

I

iglesia church
Impaciente impatient
impedir (i) to impede, prevent
inclinar to incline, to bow
Infante, el royal prince
informar to inform
instigar (gu) to instigate
instrucción, la instruction
insultar to insult
intención, la intention
interesar to interest
invierno winter
ir (IR) to go

J

jactarse to brag, boast
jamás never
jaula cage
joven young
judío Jew
juntar to join
jurar to swear

L

lado side
lágrima tear
lanza lance
largo, -a long
leal loyal
legal legal
lejos far, far away
león, el lion
letra letters (of the alphabet)
levantar to raise (up)
libertad, la freedom
líder, el leader
lisonjear to flatter
lograr to succeed
lucha fight
luego soon, next
lugar, el place

LL

llamar to call
llegar (gu) to arrive
llenar to fill
lleno, -a full
llevar to carry
llorar to cry, weep

M

madrugada dawn
malo, -a bad
mañana morning
mandar to command, ask, order
manera manner, way
manjar exquisitely prepared food
mano, la hand
manto cloak
maravillar to astonish
marcha march
marchar to march
marco mark
marzo March
más more
matar to kill
matrimonio matrimony
mechón, el large lock of hair

meditar to meditate
mejor better
mensaje, el message
mentira lie, falsehood
merced, la favor, mercy
mes, el month
mesar to tear one's hair or beard
mesnada troops
meter to put in
miedo fear
mientras while
mil one thousand (1000)
mirar to look at
misión, la mission
mitigar (gu) to calm, appease
mofarse to jeer, mock
monasterio monastery
montura saddle
morada dwelling place, residence
morado, -a purple
mordida recompense, reward
morir (ue) to die
moro Moor
mostrar (ue) to show
mucho, -a much, many
muerte, la death
muestra sample
mujer, la wife

N

nacer (zc) to be born
nada nothing
nave, la ship, boat
necesitar to need
negar (ie) (gu) to deny
negocio transaction
ninguno, -a no one
niño, -a little one, child
no obstante nevertheless
noble noble
noche, la night
nombre, el name
noticia news
nuevas news
nuevo, -a new

O

obispado bishopric
obispo bishop
obtener (IR) to obtain
ocasión, la occasion
ocultar to hide
ocurrir to occur, to happen
odiar to hate
odio hatred
ofender to offend
ofensa offense
ofrecer (zc) to offer
oír (IR) to hear
ojo eye
opinión, la opinion
orden, el order
ordenar to arrange, put in order
oriente, el east
orilla shore, river bank
oro gold
osado, -a bold, daring
otorgar (gu) to grant
otro, -a other, another

P

padrino godfather
pagar (gu) to pay
pago payment
palacio palace
pálido, -a pallid, pale
pan, el bread
pantalón, el trousers, pants
papel, el paper
para in order to, for
parecer (zc) to seem
parias taxes
pariente, el relative
parte, la part
partida departure
partir to depart, to leave
patria native country
pasado, -a past
pasar to pass
pavor, el awe, dread, terror
paz, la peace
pedir (i) to ask
pelear to fight

pensar (ie) to think
pequeño, -a little, small
perdonar to pardon
pérdida loss, damage
permiso permission
permitir to permit, allow
personal personal
pertenecer (zc) to belong
pesado, -a heavy
pesar, el grief
pie, el foot
piel, la fur, skin
plan, el plan
planear to plan
plantar to plant
playa beach
plazo term, time
pleno, -a full, complete
poco, -a little
poder (ue) to be able, can
poner (IR) to put
¿por qué? why?
porque because
portaestandarte, el standard bearer
precaución, la precaution
preciso necessary
pregón, el town crier
pregonar to proclaim
preguntar to ask a question
preparar to prepare
presentar to present
presente present
préstamo loan
prestar to loan, lend
presto, -a quick
primero, -a first
primo, -a cousin
príncipe, el prince
prisa speed, haste
prisionero, -a prisoner
probado, -a proven
prometer to promise
pronto quick
propio, -a one's own
proteger (j) to protect
protegido protegé
provisión, la provision
pueblo town
puerta door
púrpura purple, purple cloth

Q

quedar   to remain
quehacer, el   chore
queja   complaint
querer (ie)   to want
quien   who
quinta   the fifth part
quitar   to remove, take away

R

rasgar (gu)   to tear
rastro   track
rato   short time, moment
razón, la   reason
reaccionar   to react
realizar (c)   to realize
recibir   to receive
recoger (j)   to gather, collect
redoblar   to roll, play double beats on
   the drum
regalo   present, gift
regresar   to return
rehusar   to refuse
reino   kingdom
rencor, el   rancor, resentment, ill will
renombre, el   surname
rescatar   to rescue, ransom
responder   to respond, to answer
retar   to challenge
reunir   to reunite, to gather
revelar   to reveal
rey, el   king
rico, -a   rich
rienda   rein
río   river
riqueza   riches, wealth
rito   rite, ceremony
robledal, el   oak grove
rodear   to go around, to encircle
rogar (ue) (gu)   to beg, to pray
romper   to break, shatter
rubí, el   ruby

S

saber (IR)   to know
sacar (qu)   to draw, take out
sala   parlor, large hall
salir (IR)   to leave
saludar   to salute, greet
sangre, la   blood
santiguar   to make the sign of the cross
sarcástico, -a   sarcastic
sed, la   thirst
seda   silk
secta   doctrine
segundo, -a   second
seguro, -a   secure
seiscientos   six hundred
sellar   to seal
semana   week
señal, la   sign
señalar   to appoint, signal
señora   lady
sentir (ie)   to feel
separación, la   separation
separar   to separate
séquito   followers, entourage
ser (IR)   to be
servir (i)   to serve
si   if
siempre   always
sigilo   secret
significar (qu)   to signify
sillón, el   large chair, easy chair
sin   without
sin embargo   nevertheless
siniestra   left hand
sino   but
sirviente, el   servant
sobrino   nephew
sol, el   sun
solamente   only
soldado   soldier
soltar   to loosen
solucionar   to solve
sombrero   hat
sospechar   to suspect
suceder   to happen, occur
suceso   event
sueño   dream
sugerir (ie)   to suggest
superior   superior
sur, el   south

T

tabla board, plank
tal such
también also, too
tambor, el drum
tampoco either, neither
tardar to delay
temor, el fear, dread
temprano early
tendido, -a laying down
tener (IR) to have
tercero, -a third
testigo witness
tiempo time
tienda tent
tierra land
tocar (qu) to fall to one's share, to touch
todavía still, yet
todo, -a all
toma capture
tomar to take
tornar to return
torneo tournament
torre, la tower
traer (IR) to bring
traición, la treason
traidor, el traitor
traje, el dress
tranquilo, -a tranquil
treinta thirty

U

uña fingernail
único, -a only
unión, la union
unir to unite

V

valenciano, -a Valencian
valor, el worth, courage
valiente brave
vasallo vassal
velar to keep vigil, watch

veloz swift, fast
vencer (z) to conquer
venganza revenge
vengar (gu) to avenge, revenge
venir (IR) to come
ver (IR) to see
vez, la time
viajar to travel
vida life
viga beam, rafter
vileza depravity
vindicar to vindicate, avenge
visto seen
vivir to live
volver (ue) to return
vuestro, -a your

Y

ya already
yelmo helmet
yerno son-in-law

39